Les éditions du soleil de minuit

3560, chemin du Beau-Site, Saint-Damien, (Québec), J0K 2E0

Diane Groulx

Fascinée par le Nunavik, Diane Groulx nous fait découvrir un site enchanteur: le cratère du Nouveau-Québec. Elle rêve de le visiter avec ses enfants. En attendant, ils y voyagent via les mots.

De la même auteure,
aux Éditions du soleil de minuit:

Collection roman jeunesse

Le défi nordique, 1997
Terreur dans la taïga, 1998

Chantal Gervais

Décoratrice et mère de famille, Chantal Gervais en est à sa première expérience comme illustratrice, et elle est très heureuse d'avoir participé à la réalisation de ce livre.

Diane Groulx

Pingualuit ou la fontaine de Jouvence

Illustrations
Chantal Gervais

Les éditions du soleil de minuit

Les éditions du soleil de minuit
3560, chemin du Beau-Site
Saint-Damien-de-Brandon, (Québec), J0K 2E0

Illustrations: Chantal Gervais

Montage infographique: Atelier LézArt graphique

Révision des textes: France Paquin

Dépôt légal, 3e trimestre 1999
Bibliothèque nationale du Québec
Bibliothèque nationale du Canada

Données de catalogage avant publication (Canada)

Groulx, Diane, 1965-

Pingualuit, ou, La fontaine de Jouvence

(Roman de l'aube)
Pour les jeunes de 8 ans et plus.

ISBN 2-9805802-5-2

l. Gervais, Chantal, 1972- . II. Titre. III. Collection.

PS8563.R765P56 1999   jC843'.54   C99-941147-0
PS9563.R765P56 1999
PZ23.G76Pi 1999

Aux grands-parents de mes enfants:

Yvette et Jean,
qui sont partis trop vite

Marielle et Marcel

«C'est grand la mort,
c'est plein de vie dedans.»

Félix Leclerc

Chapitre 1

La bernache

Au Nunavik, c'est l'été. Les bleuets, les camarines et les plaquebières ont mûri. C'est le temps de la cueillette. Les enfants en profitent pour faire une saucette dans la rivière. Le coeur est à la joie. Mais pas pour tous les Inuit du village.

La grand-mère de Nirliq est très malade. Elle est alitée depuis une semaine et son état ne s'améliore pas. L'infirmière du village vient la voir à tous les jours et lui donne des médicaments pour contrer la douleur.

Nirliq est désemparée. Elle a peur qu'Anaanatsiaq ne s'en remette pas. Elle craint le pire: que sa grand-mère meure. Sa famille est réunie. Tout le monde a la mine basse. Le père de Nirliq passe près d'elle et lui met la main dans les cheveux. Il sourit tristement.

Nirliq se lève. Elle n'est pas capable de rester assise à ne rien faire. Elle a besoin de se sentir utile. Elle se rend au sommet de la montagne, qu'on appelle le «bateau renversé». Elle veut réfléchir à la situation.

Elle choisit de s'asseoir sur une roche, à côté d'un plant de bleuets. Là, la vue est magnifique. De hautes montagnes l'entourent. Au centre, elle voit les maisons aux couleurs vives, et la baie qui fait face au village. La fillette de huit ans a la larme à l'oeil. En regardant l'horizon, elle se remémore les différentes parties de pêche qu'elle a faites en compagnie de sa grand-mère.

C'est avec Anaanatsiaq que Nirliq a pêché son premier poisson: un omble de l'arctique. C'est aussi à sa grand-mère qu'elle l'avait offert puisqu'elle est aussi sa marraine, ou sa sanajik comme on dit en inuttitut.

- Anaanatsiaq, c'est le premier poisson que je pêche toute seule.

- Je suis bien fière de toi Nirliq. Tu vieillis.

- Je dois te le donner, n'est-ce pas?

avait demandé la fillette.

- Oui, ainsi le veut la tradition. Je suis contente de voir que tu sais maintenant pêcher, comme moi.

Sa grand-mère l'avait nettoyé et elles l'avaient dégusté cru sur place. Quel régal!

Nirliq ferme les yeux et se rappelle aussi du premier cadeau qu'elle avait offert à sa sanajik. C'était un moustique qu'elle avait tué toute seule. Nirliq avait alors presque deux ans.

Plus tard, à l'école, Nirliq a appris à coudre des mitaines en peau de caribou. Elle était fière de les offrir à sa grand-mère. Anaanatsiaq les a mises tout l'hiver. Elle prétend qu'elles lui portent chance. Elle dit que c'est grâce à elles si elle a remporté le concours de pêche blanche. Le plus gros poisson de la journée avait mordu à sa ligne!

Nirliq soupire. Que de beaux souvenirs! La larme qui perlait au coin de son oeil coule maintenant le long de sa joue.

Soudain, un bruissement se fait entendre. C'est une bernache. Elle semble égarée. Nirliq sait qu'en ce temps-ci de l'année, ces oiseaux ne peuvent pas voler. Ils ont perdu les plumes de leurs ailes et doivent attendre que leurs rémiges poussent avant de pouvoir migrer vers le sud.

Nirliq est impressionnée. C'est la

première fois qu'elle
voit une oie vivante
de si près.

Nirliq veut dire bernache en inuttitut. Sa mère lui a dit qu'au moment où elle est née, en pleine nuit, une formation de bernaches a été entendue. C'est ainsi qu'on a choisi son prénom.

Anaanatsiaq lui dit toujours que c'est elle la première bernache du groupe. Nirliq trouve toujours amusant de s'imaginer en train de diriger les oiseaux lors de leur migration.

Au début de l'été, elle aime aller les observer sur les rives du lac. C'est là que les oiseaux nichent. On entend les oisillons qui piaillent dans les nids.

La bernache la tire de sa rêverie en lui lançant un retentissant «ahonk»! Nirliq sursaute.

- Que fais-tu ici, tout seul, bel oiseau? lui demande-t-elle timidement.

Nirliq ne fait pas de mouvements brusques pour ne pas l'effrayer. À son grand étonnement, la bernache lui répond:

- Je suis ta saunik. On t'a donné mon nom. Je suis venu t'aider dans ta quête.

- Mais tu parles?

- Bien sûr. Tous les animaux parlent. Il faut seulement savoir les écouter.

Bien que surprise Nirliq réussit à balbutier:

- Que peux-tu faire pour moi?

- Lorsque tu retourneras au village, demande à ta grand-mère de te parler de Pingualuit.

- Pingualuit? Qu'est-ce que c'est?

Sans lui laisser le temps de finir sa phrase, l'oiseau se sauve en se dandinant. Nirliq n'y comprend rien. Elle ne pense même pas à le suivre et prend une grande inspiration.

Elle doit faire quelque chose pour venir en aide à son aînée. Elle se lève et se dirige d'un pas résolu vers le village.

Chapitre 2

Les légendes

De retour à la maison, Nirliq se rend directement dans la chambre de sa grand-mère. Elle prend place à ses côtés, sans faire de bruit. Au bout d'un moment, Anaanatsiaq ouvre l'oeil et aperçoit sa petite-fille. Elle lui sourit. Nirliq lui prend la main.

- Je ne veux pas que tu meures Anaanatsiaq.

Nirliq a les larmes aux yeux. Sa grand-mère tente de la rassurer.

23

- Mon heure est peut-être arrivée, mais je serai toujours avec toi. Tu ne seras jamais seule.

- Comment ça?

- Le soir, quand tu voudras me parler, tu m'appelleras et je viendrai illuminer le ciel.

Nirliq est perplexe. Tout à coup, elle y pense. Sa grand-mère fait référence aux aurores boréales, les arsaniq comme on dit en inuttitut. Lorsqu'il fait noir, ces lueurs éclairent la nuit et dansent dans le ciel. Nirliq les a souvent aperçues, mais elle ne savait pas que les morts les utilisaient pour se faire voir des vivants.

La jeune Inuk repense à sa rencontre inhabituelle du matin. Elle n'ose pas en parler à sa famille. On ne la croirait sûrement pas. Personne ne lui a mentionné que les animaux conversaient avec les humains. Elle a peur qu'on se moque d'elle.

La bernache a démontré beaucoup de confiance pour s'approcher ainsi d'un humain. L'oiseau est vulnérable, sans défense, en ce temps-ci de l'année. Nirliq aurait pu en profiter et la tuer en lui lançant une pierre. La bernache n'aurait pas été capable de se sauver en volant. Nirliq se pourlèche les babines en pensant au festin qu'elle aurait dégusté avec sa famille.

- Parle-moi de Pingualuit, demande-t-elle enfin à son aînée.

- Pingualuit existe depuis la nuit des temps, dit sa grand-mère d'une voix faible. On y trouve un lac très profond. L'eau est tellement limpide qu'on peut voir les poissons nager dans le lac. Les poissons sont très gros. Ce sont les plus vieux du monde.

Anaanatsiaq fait une pause. Elle

reprend son souffle. Nirliq n'ose pas lui poser de questions. Elle attend patiemment. Sa grand-mère termine ainsi:

- L'eau du lac a des propriétés spéciales.

Anaanatsiaq lui fait alors une révélation.

- Ceux qui boivent de son eau restent jeunes pour l'éternité.

Épuisée, Anaanatsiaq ferme les yeux et s'assoupit.

À cet instant, Nirliq aperçoit Ilaijah, son grand frère de seize ans. Il était entré sans faire de bruit dans la chambre. Il n'a rien manqué de la conversation.

- Balivernes tout ça, réplique-t-il tout bas pour ne pas réveiller sa grand-mère. Ce sont des histoires à dormir debout. Je vais souvent pêcher à Pingualuit. Le site est enchanteur, c'est vrai, mais c'est tout.

- L'endroit ressemble à quoi? interroge la fillette.

- Un météorite serait tombé là, il y a plus d'un million d'années. Ça a formé un cratère. C'est comme un énorme trou ovale avec un lac au milieu.

- Je veux y aller. Amène-moi là-bas, exige Nirliq, plus déterminée que jamais.

Chapitre 3

Le cratère

Ilaijah a refusé d'amener sa petite soeur à Pingualuit. Il ne veut pas entretenir son illusion. Nirliq est déçue. Elle passe beaucoup de temps seule dans sa chambre. Elle se sent impuissante. Sa grand-mère ne va pas mieux, mais au moins son état n'empire pas. Les médicaments qu'on lui a administrés ont l'air de l'aider.

La jeune Inuk sait qu'elle ne peut pas se rendre seule à Pingualuit. Elle ne connaît pas le chemin et risque de s'égarer. De toute façon, elle n'a aucun moyen de transport pour s'y rendre. C'est trop loin pour y aller à pied. Et son père n'accepterait jamais qu'elle emprunte le quatre-roues de la famille. Elle est trop jeune pour le conduire.

Tout à coup, on cogne deux petits coups secs à sa porte.

- Entrez, dit-elle d'une voix morne.

C'est Ilaijah. Il a chaussé ses bottes de cuir. Il porte un casque sur la tête et en tient un autre dans sa main.

- J'ai changé d'idée. Je vais chasser près de Pingualuit. Je pars deux jours. Veux-tu toujours y aller?

Le regard de Nirliq s'illumine.

- Youpi!

Elle saute au cou de son frère pour l'embrasser.

- Donne-moi deux minutes, dit-elle. Je vais préparer mes effets.

- D'accord, je t'attends dehors.

Nirliq fouille frénétiquement dans sa chambre. Elle regarde dans son placard. Elle ne trouve pas ce qu'elle cherche. La fillette n'est pas très ordonnée. Elle jette un coup d'oeil sous son lit. La voilà! Elle met la précieuse gourde vide dans son sac à dos.

En passant par la cuisine, elle saisit un morceau de bannique qui est sur le comptoir. Le pain est encore fumant. Sa mère l'a fait cuire ce matin. Ce sera son déjeuner.

Avant de partir, elle met sa tête dans l'embrasure de la chambre de sa grand-mère. Son aînée dort paisiblement. La jeune Inuk peut partir le coeur léger.

Dans l'entrée, Nirliq déniche un rouleau de cordes qu'elle place dans la pochette latérale de son sac. Elle est prête pour son expédition.

Lorsqu'elle sort, Ilaijah finit d'attacher les paquets au véhicule tout-terrain.

- Tu t'assoiras ici derrière. Je t'ai installé un petit coussin. Tu seras confortable.

Ilaijah a toujours des petites attentions pour sa soeur lorsqu'il l'amène à l'extérieur du village.

La route est longue jusqu'à Pingualuit. Il y a peu de repères sur la vaste toundra. Ilaijah connaît bien le chemin pour l'avoir fait plusieurs fois avec son père.

Ils n'ont pas apporté de boussole. C'est un instrument inutile. Ils sont trop près du pôle magnétique, la boussole ne garde pas le nord. Les aiguilles tournent sans arrêt, comme si l'objet était hanté.

Pour se guider, l'adolescent se fie plutôt à des indices diposés ici et là. Les inuksuit, que son peuple a érigés au fil des ans, lui sont d'un grand secours.

- Regarde Nirliq, on dirait un homme de pierres.

- Ou une femme, rétorque la fillette, moqueuse.

- Écoute-moi un peu. Tu vois où pointent ses bras? Quand on regarde comme il faut, on peut voir que son bras gauche nous indique dans quelle direction est le village, et que son bras droit nous montre où se trouve Pingualuit.

- Vraiment?

Nirliq est perplexe. Sans son frère, elle se serait perdue dans l'immense toundra.

Mais avec un conducteur comme Ilaijah, elle se sent en sécurité. Par mesure de prudence, son frère a apporté une radio-émetteur. S'ils tombent en panne, ils pourront contacter le village pour avoir de l'aide.

Arrivés sur les lieux, Nirliq est éblouie par la beauté du paysage. Elle n'a jamais rien vu d'aussi impressionnant de toute sa vie. Elle se croirait sur la lune.

- C'est magnifique Ilaijah!

Toutefois, une ombre vient assombrir le tableau. Le lac lui semble inaccessible. Il est situé tout au fond de l'immense cratère.

- Mais comment fais-tu pour pêcher dans le lac? On ne peut pas s'y rendre à pied, c'est trop à pic! s'écrie la jeune Inuk.

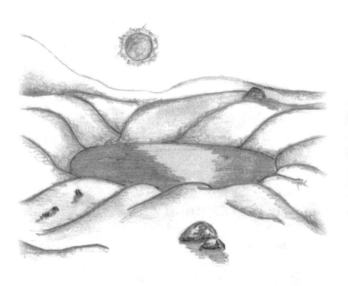

- J'escalade la falaise un peu plus loin. J'arrive à descendre sur le plateau que tu vois là-bas.

- C'est dangereux?

- Pas quand tu sais ce que tu fais, se vante son frère, un sourire au coin des lèvres.

Ilaijah connaît bien les lieux. Il a déjà choisi le meilleur emplacement pour leur tente. Ils sont sur une petite dénivellation, à l'abri des bourrasques de vent.

- Viens te rendre utile. Tu vas tenir le poteau de bois pendant que je place le canevas sur notre abri. Nous coucherons ici, ce soir et demain.

- Quand vas-tu m'amener au bord du lac? s'inquiète Nirliq.

- D'abord, j'irai chasser un peu plus loin. D'autres chasseurs m'ont dit qu'ils ont vu un troupeau de boeufs musqués dans les environs. Anaanatsiaq raffole de cette viande. Je préfère que tu m'attendes ici pour ne pas me ralentir. Avant de repartir, j'irai au bord du lac avec toi, si on a le temps.

Nirliq s'y attendait. Elle déduit qu'elle ne peut pas compter sur lui. De toute façon, son frère tient rarement ses promesses, et il n'aime pas qu'elle le suive partout. Qu'à cela ne tienne, elle se débrouillera toute seule. Elle trouvera bien une solution.

Chapitre 4

Le veau

Lorsque Nirliq se réveille le lendemain matin, son frère a déjà quitté le campement. Elle dormait tellement profondément qu'elle n'a même pas entendu le moteur du quatre-roues vrombir. Autour d'elle, tout est silence.

Nirliq avale une bouchée, avant de quitter le campement à son tour. Elle se dirige d'un pas décidé vers l'endroit que son frère lui a pointé hier. Les distances sont souvent trompeuses sur la toundra. Elle marche longtemps.

Elle se repose et prend une collation à l'ombre d'un gros tas de pierres. Elle grignote de la viande de caribou séchée. Tout à coup, la jeune Inuk sursaute.

Une ombre l'enveloppe. Nirliq se fait surprendre par un veau à l'épais manteau laineux qui était derrière une roche. Son frère Ilaijah avait raison, il y a un troupeau de boeufs musqués dans les environs. Ils sont rares au Nunavik. Nirliq n'avait encore jamais vu de veaux.

41

- Que fais-tu ici? ose-t-elle lui demander.

- Je viens te mettre en garde, lui répond le jeune boeuf musqué, la gueule pleine. Il mastique une plante.

Médusée, Nirliq reste bouche bée. C'est le comble! Un autre animal lui parle! La bernache avait donc raison.

- Ne t'aventure pas sur les berges du lac, poursuit le veau. C'est trop dangereux, tu pourrais te blesser en descendant.

- Mais je dois y aller! rétorque Nirliq. C'est une question de vie ou de mort.

- Ce n'est pas prudent. Tu ne

réussiras pas toute seule.

- Alors, aide-moi, implore la fillette.

- Je ne peux pas, lui explique le veau. La pente est trop escarpée, même pour moi. Je dois maintenant aller rejoindre ma mère. J'ai soif.

- Reste. Tiens, j'ai de l'eau dans cette bouteille.

Elle lui offre la bouteille de plastique transparent. Le veau hoche négativement la tête.

- Merci, mais je préfère le bon lait de ma maman.

Sans lui laisser le temps de répliquer,

l'animal détale. On dirait qu'il gambade. Nirliq se lève pour voir où il va, mais il a déjà disparu. C'est étrange. Il n'y a aucune cachette où il peut se dissimuler. À cet endroit, la toundra est dénudée. Il n'y a ni montagnes ni arbres qui pourraient le camoufler. La fillette distingue bien ce qui l'entoure. C'est l'horizon à perte de vue. Elle hausse les épaules.

Malgré la mise en garde, Nirliq décide de se rendre quand même au bord de la falaise. Rendue là, elle évalue la situation. La pente est effectivement très abrupte. Il lui faudra faire de l'escalade pour se rendre au bord du lac. Elle jette un regard autour d'elle. Il n'y a âme qui vive.

Le veau a peut-être raison. Elle

44

hésite. Ses pensées vont pour sa grand-mère.

- Anaanatsiaq a besoin de moi, raisonne-t-elle. Je ne peux pas l'abandonner. Je suis si près du but.

La jeune Inuk repère une saillie, sur laquelle elle pourra fixer sa corde. Elle enlève son sac à dos et met sa gourde vide en bandoulière. Elle fixe adroitement sa corde, autour de la roche qui surplombe la falaise. Elle vérifie bien la solidité de ses noeuds, comme lui a montré son frère. Par prudence, elle met son casque protecteur sur sa tête. Elle est prête. Nirliq lève la tête vers le ciel.

- Je réussirai, se convainc-elle.

Chapitre 5

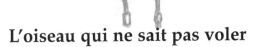

L'oiseau qui ne sait pas voler

La descente est beaucoup plus difficile qu'elle ne pensait. La pente est raide, et la paroi rocheuse s'effrite facilement. Nirliq prend son temps. Elle ne veut rien précipiter. Elle est très concentrée. Au bout d'un certain temps, elle est à bout de force et décide de s'accorder un moment de répit sur un plateau en contrebas.

Elle se repose à mi-chemin. Là, la jeune Inuk peut déjà voir les poissons nager dans le lac. L'eau est très limpide. Elle n'a jamais vu une eau si pure.

47

Sa grand-mère a raison de dire que cette eau a des propriétés particulières.

C'est comme la fontaine de Jouvence. La légende dit que ceux qui s'y baignaient rajeunissaient. En buvant l'eau de Pingualuit, Anaanatsiaq redeviendra jeune. Nirliq a les larmes aux yeux en pensant au magnifique cadeau qu'elle va faire à sa grand-mère.

Un piaillement attire son attention. Il y a un nid à quelques centimètres au-dessus de sa tête. La fillette recule pour mieux voir l'oisillon qui y est couché. C'est un bébé harfang des neiges. Il est recouvert d'un beau duvet immaculé.

- Salut petit Upik! lui lance-t-elle.

De grands yeux jaunes la dévisagent avec étonnement. Nirliq n'est pas surprise lorsque l'oisillon lui répond. Le contraire l'aurait rendue perplexe.

- Bonjour drôle d'oiseau sans plumes, lui dit le bébé.

- Je ne suis pas un oiseau, je suis une Inuk! affirme Nirliq, presque insultée.

- Comment es-tu arrivée ici, si tu ne sais pas voler? Avant de partir, ma maman m'a dit que seuls les oiseaux pouvaient venir jusqu'à mon nid.

- Je suis descendue avec une corde, mais ne crains rien. Je ne te ferai pas de mal. Je m'arrête ici, seulement quelques minutes, avant de continuer vers le lac.

- Tu dois repartir au plus vite, l'avertit l'oisillon. Si mes parents te voient, ils te chasseront. Si tu ne sais pas voler, tu tomberas de la falaise et tu te romperas le cou. Ils défendent bien mon nid des intrus.

- C'est dommage que tu ne voles pas encore. Tu pourrais aller chercher de l'eau à ma place, soupire la fillette, fatiguée.

Un frémissement à ses pieds attire alors son attention. Un petit animal roux arrête sa course à la hauteur de Nirliq. Elle reconnaît un lemming. Il nargue l'oisillon qui est dans son nid.

- Tu ne peux pas me manger, et ce n'est pas demain la veille que tu m'attraperas, raille le rongeur.

- Va-t-en avant que mes parents ne fassent qu'une bouchée de toi! crie le harfang des neiges. Tu ne perds rien pour attendre. Dans huit semaines, je t'attraperai en plein vol, avec mes grosses serres.

Le petit mammifère ricane. Nirliq est déçue de cette apparition. Le lemming n'est pas tellement plus gros qu'une souris. Il ne peut pas l'aider non plus. Il peut se rendre jusqu'à la rive du lac, mais il ne peut pas lui rapporter la précieuse eau dans la gourde. Elle est trop grosse et trop lourde pour lui.

- Bon, je vous laisse à votre discussion. Je dois continuer ma route, décide la fillette.

- De toute façon, je partais aussi. On annonce une bourrasque de vent, prédit le lemming en filant à vive allure comme un petit bolide.

Deux ombres se profilent dans l'azur du ciel. Les harfangs des neiges reviennent vers le nid de leur rejeton. Nirliq se hâte. Elle ne veut pas se retrouver dans une mauvaise posture.

- Au revoir bébé Upik.

- Bonne chance petite Nirliq sans plumes, lui souhaite l'oisillon.

Chapitre 6

La bourrasque

Nirliq reprend sa descente vers le lac. Le vent se lève brusquement. La jeune Inuk se colle contre la paroi rocheuse. Elle évite ainsi que la poussière, qui virevolte autour d'elle, ne lui brûle les yeux.

Le vent continue à souffler tellement fort qu'elle en perd l'équilibre. Par chance, elle avait attaché la corde autour de sa taille. Elle reste suspendue dans les airs. Ses pieds pendent dans le vide. Sa tête se frappe contre la paroi. Elle ne se fait pas mal, car elle est bien protégée par son casque. Elle a très peur. Cette secousse l'a étourdie.

Nirliq tente de se raccrocher à la paroi. Elle ne remarque pas que la corde se frotte contre une roche coupante. Elle s'effrite tandis que le corps de la jeune Inuk se promène de gauche à droite comme un pendule.

Nirliq s'égratigne la main, en tentant de s'agripper à la roche. Elle est trop occupée pour s'inquiéter du sang qui coule le long de son bras.

La corde ne tient plus qu'à un fil. Nirliq ressent une seconde secousse. Elle regarde en haut, juste à temps pour voir le dernier brin de corde se casser. Elle pousse un cri, et ferme les yeux. Elle tombe dans le vide.

Nirliq a perdu connaissance. Elle ne sait pas combien de temps elle est demeurée inanimée. Elle se fait réveiller par un animal qui lui lèche doucement la joue.

C'est une renarde. Agile, elle a été capable de se rendre sans grand effort jusqu'à l'endroit où Nirliq est tombée. En ouvrant les yeux, la jeune Inuk constate qu'il fait déjà nuit.

La renarde a délaissé sa tanière, pour venir chasser des lemmings. Nirliq remarque que sa chasse est fructueuse. La renarde a déposé cinq lemmings dans un tas, non loin d'elle. C'est le festin qu'elle rapporte à ses petits affamés.

- Tu as faim? lui demande amicalement l'animal.

- Non, balbutie Nirliq, meurtrie.

- Rien de tel qu'un petit lemming pour se remettre d'aplomb, propose la renarde, d'un ton maternel.

Il n'est pas question que la fillette mange un rongeur. Elle essaie de se relever, mais grimace de douleur. Nirliq constate qu'elle s'est blessée en tombant. Elle est à quelques mètres de son but. C'est frustrant. La fillette se met à pleurer. La renarde interprète mal ses pleurs.

- Tu n'aimes pas les lemmings, c'est ça? Je peux te pêcher un poisson si tu préfères, lui propose la généreuse femelle.

Un clapotis leur fait tourner la tête. Un omble de l'arctique sort un peu de l'eau. La lune éclaire ses écailles rougeâtres.

- Tu ne vois pas qu'elle est bouleversée, dit-il en ouvrant et fermant la bouche de façon rythmée comme le font habituellement les poissons. Laisse-la tranquille.

La renarde remet ses proies dans sa gueule et déguerpit à vive allure. On dirait qu'elle a vu un revenant. Nirliq n'a pas quitté le poisson des yeux. Elle n'en a jamais vu d'aussi gigantesque. Il doit être très vieux, suppose-t-elle. Le gros poisson attend que le mammifère soit hors de vue avant de poursuivre.

- Tu as risqué gros en venant jusqu'ici sans aide. Seuls les initiés y sont parvenus. Tu veux de l'eau, je présume. Tu es encore si jeune, pourquoi en as-tu tant besoin?

- Ce n'est pas pour moi, c'est pour

ma grand-mère, réussit à dire Nirliq à travers ses sanglots.

Le poisson semble bien connaître la légende. La jeune Inuk n'est pas la première qui vient puiser cette eau. Nombreux sont ceux qui sont venus dans l'espoir de rajeunir.

- Ton geste est noble belle enfant, mais ta méthode laisse à désirer. N'as-tu rien appris depuis le début de ton périple? demande l'omble, d'un ton moralisateur.

Nirliq secoue la tête de haut en bas. Elle commence enfin à comprendre, mais est-il trop tard?

Chapitre 7

Sa sauniq

Le jour se lève sur la toundra. Le soleil d'été réchauffe la terre de ses faibles rayons. Nirliq cligne des yeux. Elle n'a pas changé de position depuis la veille. Elle est ankylosée. Elle a mal à la tête et le côté droit de son corps est endolori.

Son casque protecteur gît à ses côtés. Il s'est cassé en deux, comme une coquille d'oeuf, quand sa tête a heurté un rocher.

Un battement d'ailes lui fait lever

la tête au ciel. C'est la bernache. Ses rémiges ont repoussé et elle peut voler à nouveau. Elle se pose tout près d'elle.

Nirliq est rassurée en voyant sa sauniq. Elle se sent en sécurité près de l'oiseau. Elle lui explique:

- Ma grand-mère m'a parlé de la légende concernant Pingualuit. Je suis venue chercher de l'eau pour la sauver. Tu m'as mise sur la bonne piste. J'y suis presque arrivée.

La jeune Inuk baisse la tête, penaude.

- Ahonk, répond la bernache.

La fillette est interloquée.

- Parle-moi, supplie-t-elle.

Soudain un doute l'envahit.

- J'ai bien fait de venir ici, n'est-ce pas?

- Ahonk, répète le palmipède.

L'oiseau ne lui parle plus, il crie comme le font toutes les bernaches. Nirliq baisse la tête tout doucement. Elle n'y comprend rien. A-t-elle rêvé à tous ces animaux qui lui ont adressé la parole?

On entend des bernaches crier au loin. La sauniq de Nirliq semble hésiter. Ses amies l'appellent. C'est le temps de migrer vers le sud.

Tout à coup elle s'envole. Elle part rejoindre sa famille. La jeune Inuk reste seule. Sa gourde vide est encore pendue à son cou.

Nirliq ne sait pas l'heure qu'il est. Elle ne voit pas le temps qui passe. Elle ferme les yeux et s'assoupit. Lorsqu'elle ouvre l'oeil, il fait nuit à nouveau. Le ciel est sombre, presque noir. Comme un énorme lampadaire, la lune éclaire un coin du firmament.

Nirliq n'empêche pas les larmes de couler sur ses joues. Elle ferme les yeux. Elle se sent si seule maintenant.

Pour se rassurer, elle imagine le visage souriant de sa grand-mère. Soudain, il lui semble entendre une voix au loin.

Chapitre 8

La nuit arctique

- Nirliq, Nirliq, tu es là? s'époumonne Ilaijah d'une voix puissante. Il est parti à sa recherche aussitôt qu'il est revenu de la chasse. Il redoute le pire, car il connaît l'entêtement de sa soeur.

La fillette rassemble ses forces pour lui répondre. Son frère la repère aussitôt.

- Ne bouge pas, j'arrive tout de suite, lui promet-il, soulagé.

Ilaijah prend les précautions nécessaires avant de s'aventurer où est tombée sa soeur. Il escalade prudemment la falaise et s'arrête enfin à sa hauteur. Il se penche à ses côtés et tate ses membres.

- Je t'ai cherchée partout. Je m'inquiétais pour toi. Où as-tu mal?

Nirliq est tellement émue qu'elle s'évanouie avant de pouvoir lui répondre. Lorsqu'elle reprend conscience, elle est de retour au campement, étendue dans la tente. Elle ne sait pas comment son frère s'y est pris pour l'amener jusque-là. Il a laissé la porte de leur abri ouverte. Elle peut voir le ciel rempli d'étoiles.

- Nous attendrons le lever du jour

avant d'entreprendre le chemin du retour. Ce sera plus prudent.

Nirliq se met à pleurer en silence. Son frère la serre tendrement dans ses bras.

- Ne t'inquiète pas, ça ira. Tu n'as rien de cassé. On arrivera bientôt à la maison.

La jeune Inuk sanglote de plus belle.

- J'ai tout fait rater, constate-t-elle. J'étais si près du lac, j'aurais pu sauver Anaanatsiaq.

Ilaijah tente de la raisonner.

- C'était imprudent de vouloir y aller toute seule. À deux, cela aurait été plus facile. J'aurais pu te montrer le chemin. D'ailleurs, je comptais bien le faire après ma partie de chasse.

- Je pensais que tu ne croyais pas à cette légende, explique Nirliq.

- Je sais que c'est important pour toi.

Ilaijah se penche et ramasse un objet à ses pieds.

- Tiens, c'est pour Anaanatsiaq.

73

Il lui tend la gourde. Elle est pleine. Il l'a remplie avant de retourner au campement. Nirliq étreint son frère. Enlacés, ils regardent le ciel.

Tout à coup, de magnifiques lueurs verdâtres viennent éclairer la nuit arctique. Ce sont des aurores boréales, des arsaniq.

Lexique

Pour t'aider à t'y retrouver, voici la traduction des mots en inuttitut que tu as rencontrés lors de ta lecture.

anaanatsiaq: grand-mère

arsaniq: aurores boréales

Inuit: habitants du Nunavik
(un Inuk, deux Inuuk, plusieurs Inuit)

inuksuk: amas de pierres à ressemblance humaine (un inuksuk, des inuksuit)

nirliq: bernarche (outarde)

Nunavik: territoire québécois où vivent les Inuit (anciennement appelé Nouveau-Québec)
≠ Nunavut (territoire de l'arctique canadien)

Pingualuit: cratère du Nouveau-Québec

sanajik: marraine

sauniq: personne qui porte le même prénom que le nouveau-né. Ce prénom lui a été attribué pour garder vivante la mémoire de l'aîné(e).

upik: harfang des neiges

Table des matières